당신의 교육철학을
한 권의 책에 담아 드립니다

비사이드 북스

X

교육실천이음연구소

교사리더십 첫걸음, 누가 뭐래도 나다운

김진원

차례

글쓴이

적응/복구/발상/책임/
공감으로 살아가는
좌출우동 고군분투형
교사

|

김진원

툭 하고 떠오른 아이디어에 매료되면 일단 저지르고 마는 행동대장이자 배우고 배워도 여전히 배우고픈 것 투성이인 프로 배움러다. 마흔부터 젊은 교감으로 사는 게 힘들어 리더십을 글로라도 배우겠다며 교사리더십을 전공했다. 지금은 재능과 강점, 코칭을 공부하며 나만의 고유함과 재능으로 탁월함의 별빛을 찾아 가는 여정 중이다. 사람들이 자기 재능으로 자기답게 살아갈 수 있도록 응원하는 마음으로 다양한 강점기반 코칭 프로그램을 기획하고 운영하고 있다.

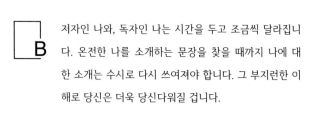

저자인 나와, 독자인 나는 시간을 두고 조금씩 달라집니다. 온전한 나를 소개하는 문장을 찾을 때까지 나에 대한 소개는 수시로 다시 쓰여져야 합니다. 그 부지런한 이해로 당신은 더욱 당신다워질 겁니다.

글쓴이

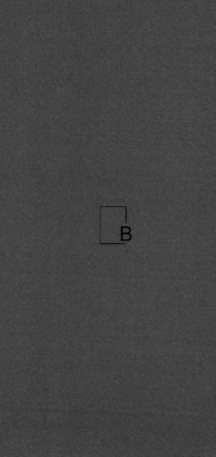

나를 이루어 온 경험은
무엇인가요?

성장과정과 학생 시절의 경험, 특히
교직을 택한 경험을 되돌아봅니다.
자신이 의미를 두는 경험에서 얻은
성찰과 역량을 발견합니다.

그리고 그것이 어떻게 어우러져
지금의 나를 형성해왔는지
인식합니다.

나는 어디로부터 왔는가

대화한 날_ 2023. 10. 11.

완성한 날_ 2023. 12. 3.

나는 어디로부터 왔는가

나는 어디로부터 왔는가

나는 덥고, 땀에 젖은,

무엇도, 누구도 돌아다니지 않는 시간으로부터.

재스민으로 가득한 밤으로부터 왔다.

피칸 나무들과 소금기를 머금은 붉은 진흙땅과

치자나무 향기 가득한 밤으로부터.

나는 어디로부터 왔는가

나는 덥고, 땀에 젖은,

무엇도, 누구도 돌아다니지 않는 시간으로부터.

재스민으로 가득한 밤으로부터 왔다.

피칸 나무들과 소금기를 머금은 붉은 진흙땅과

치자나무 향기 가득한 밤으로부터.

나는 터닙과 콜라드 그리고 머스타드 모듬 채소,

냄비 국물, 오크라, 블랙 아이드 피

그리고 훈제 돼지로부터 왔다.

<나는 어디로부터 왔는가 _베브 콜만>

중에서

나는 장갑공장 돌아가는 소리와 기름 냄새 밴 목장갑으로부터 왔다. 쉴 새 없이 오가는 기계 바늘이 촘촘하고 따뜻한 장갑을 하나씩 내뱉는다. 갓구운 빵 같은 장갑들을 차곡차곡 포개어 가지런히 쌓는다. 오늘은 실이 들어오는 날이다. 서둘러 입구에 쌓인 장갑들을 재빨리 오바

나는 어디로부터 왔는가

로꾸 방으로 옮긴다. 하얀 비닐 포대에 담긴 실 더미는 쌀 두 가마니는 너끈히 나가는 무게인 데다 크기는 네 배가 족히 된다. 이게 힘만으로 되는 것은 아니다. 허리를 굽혀 등에 얹고 리듬을 살려 걸음을 떼야 한다. 계단에서는 더욱 안정적으로 허리를 굽혀 다리에 힘을 주며 조심스레 내디딘다. 마지막 관건은 커다란 실 자루를 등에서 내리꽂으며 최대한 가지런히 쌓아 올리는 것이다. 일은 해봐야 는다. 그리고 그 일들은 나에게는 성취감이자 뿌듯함이었다. 부모를 돕는다는 긍지와 가지런한 실 더미가 주는 묘한 기쁨.

공장은 나의 놀이터이자 노동을 배우는 학교이기도 했다. 45년여 전 아버지가 직접 사람들과 지었다는 이층집의 1층은 공장 2층은 우리 집이었다. 집 바로 아래층 공장을 들락거리며 사람들이 서로를 어떻게 대하는지 어떤 희로애락이 있는지를 어렴풋이 느꼈던 것 같다. 쉴 새 없이 새로운 상황이 들이닥치고 다양한 사람들이 오가는 공장에서 노동을 통해 내가 배운 것은 적응력과 문제상황의 복구에 집중하는 힘이었다. 하루하루를 땀 흘리며 살아가는 부모님을 통해 꾸준함을, 싸우고 화해하고 다시 웃음 짓는 공장 사람들을 보며 공감을 배웠다. 일머리를 깨치기 시작한 것도 그때였고 손님을 대하는 친절한 마음도 배웠다. 그렇게 공장의 하루하루는 나를 이루고 다듬어 가는 시간이었다.

나는 어디로부터 왔는가

나는 장갑공장 집 막내였다. 초등학교 공부는 꽤 잘했다. 막내인 내가 그나마 가족들 사이에서 주목받을 수 있는 것은 공부였던 것 같다. 그래서였는지 나의 타고난 기질 때문이었는지 다른 사람보다 잘나 보이고 싶었다. 초능력을 얻는다면 수업 시간 모든 질문을 독차지하며 정답만을 말하는 사람이 되고 싶었다. 그러나 나는 수업 시간 손 한 번 들어보지 못하는 소심한 아이였다. 질문은 한 번도 해본 적이 없다. 그러나 공부 잘한다는 칭찬을 들을 때마다 내가 중요한 사람이 되는 듯했다. 하지만 '공부 잘하는 것보다 사람이 먼저 되는 게 더 중요하다'는 비난 섞인 말들이 비수로 더욱 꽂혔다. 바쁘게 돌아가는 장갑공장에서 아무리 똑똑해 봐야 막내는 막내라는 서러움이 컸다. 그래서 그렇게 사춘기가 힘들었나 보다. 엄마를 제외하면 가족 누구와도 말하지 않고 3~4년을 보냈다.

심리학책도 읽어보고, 마음공부도 해보고, 내면아이 연수를 통해 자기객관화 좀 하며 산다고 생각했다.

나는 어디로부터 왔는가

그러나 갤럽의 클리프튼스트렝스라는 강점 진단검사를 만나고부터 또다시 새로운 관점으로 나를 돌아보게 됐다. 진단을 통해 각자만의 고유함과 잠재력 그리고 탁월함을 이룰 수 있는 자기만의 재능에 관한 보고서를 받았다. 그리고 34개의 테마로 구성된 각각의 언어들을 통해 나를 표현하는 다양한 언어들을 선물 받았다. 신기한 마음과 의심되는 마음을 넘어 조금씩 그 언어들을 통해 나를 이해하는 새로운 단서들을 발견해 가는 기쁨이 커졌다. 김춘수의 시처럼 나에게로 와서 꽃이 된 언어들은 내가 가진 고유함으로부터 출발하는 나를 만나는 순간들을 선물했다.

테마	특징
적응 (ADAPTABILITY)®	어쩌면 돌발상황을 즐기기도 하며 상황흐름에 따라 적응하는 것을 선호합니다. "지금 바로 여기"를 중시하며 미래를 하루 하루씩 발견해 나가는 "현재"에 충실한 사람입니다. 어려운 상황에서도 생산성을 높이며 현재에 충실한 재능을 가졌습니다.
복구 (RESTORATIVE)™	문제를 다루는 능력이 뛰어나며 문제의 근원이 무엇인지 잘 파악하여 문제를 해결하는 것으로 스스로의 활력을 만듭니다. 고충이나 문제가 발생해도 위축되지 않고 창의력을 발휘하여 문제를 진단하고 해결안을 찾아내어는 데 뛰어납니다.

나는 어디로부터 왔는가

발상 (IDEATION) ®	참신한 아이디어에 매료되어 누구보다도 창의적이며 독창적입니다. 언뜻 보기에 전혀 상관이 없어 보이는 현상들의 연관성을 잘 찾아내는 새로운 시각을 가지고 있으며 고정관념에서 벗어난 사고로 제한없이 가능성을 탐색하는 재능을 가졌습니다.
책임 (RESPONSIBILITY) ®	모든 일에 주인의식을 가지고 자신이 약속한 것들에 대해 반드시 책임을 지는 사람입니다. 정직과 충실을 바탕으로 주변사람들에게는 절대적으로 믿을 수 있는 사람으로 인정받습니다. 당신은 투철한 주인의식과 신뢰, 충실성으로 다른사람의 존경을 받는 능력을 가졌습니다.

공감 (EMPATHY)™	다른 사람들의 감정을 소중하게 여기며 역지사지의 마음을 중요하게 생각하는 사려깊은 사람입니다. 당신의 감정이입 능력과 다양한 감정표현 그리고 감성지능은 함께 하는 사람들이 편안한 관계를 맺을 수 있도록 잘 도울 수 있는 재능을 가졌습니다.
행동 (ACTIVATOR)®	생각을 당장 실천에 옮기는 당신은 누구보다도 추진력이 뛰어나며 행동은 사고와 같으며 행동만이 실질적인 결과를 가져온다고 믿습니다. 행동을 통해 경험하고 배우는 것을 선호하며, 행동이 최고의 학습방법이라 생각합니다. 일을 안하는 상황을 참을 수 없고 긴박감으로 일 촉진합니다. 논의보다는 실천 늘려 생각과 즉시 행동하는 능력을 가졌습니다.

긍정 (POSITIVITY)®	전염성이 강한 긍정적 열정을 가지고 있으며 낙관적이고 유머감각이 탁월한 유쾌한 사람입니다. 모든 일을 흥미롭고 활기차게 하며 자신의 삶을 충만하게 만들어가는 멋진 재능을 가졌습니다.
포용 (INCLUDER)®	다른 사람들을 잘 받아들이고 집단의 일원이 된 것을 느끼도록 반경 확장하는 능력을 가지고 있습니다. 다양성을 인정하고 관대한 태도로 소외된 사람들을 의식하고 그들을 포함시키기 위해 노력합니다. 가진 자와 못 가진 자 사이의 격차를 줄이는데 기여하며 당신의 관대함과 포용력은 다양성을 흡수하고 공감대를 형성하는 능력을 가졌습니다.

커뮤니케이션 (COMMUNICATION) ®	자신의 생각을 쉽게 말로 옮길 수 있으며 말을 통해 관계를 구축합니다. 생생한 스토리를 바탕으로 대화하고 발표하는 능력을 갖고 있으며, 말솜씨가 뛰어나고 프리젠테이션 자료를 잘 만들어 정보를 효과적으로 전달합니다. 말을 통해 관계를 구축하는 능력으로 대화나 발표를 통해 사람들과 더 깊은 관계를 형성할 수 있는 능력을 지닌 사람입니다.
존재감 (SIGNIFICANCE)™	강한 영향력을 발휘하고 매우 중요한 존재로 비춰지기를 원하는 당신은 자신의 독립성과 타인의 인정을 강하게 원하는 열망이 있는 사람입니다. 타인에게 강한 영향력을 행사하고 자신을 중요한 존재로 인식시키고 싶어하며, 또한 다른 사람들의 영향을 받으면서 의욕을 유지하고 나아가고자 합니다. 또한, 당신은 자신의 진가를 알아주는 사람과 교류하고 성공한 사람들과의 교류하는 강점을 가졌습니다.

나는 어디로부터 왔는가

"나는

장갑공장 돌아가는 소리와

기름 냄새 밴

목장갑으로부터 왔다."

당신은 이 글의 저자인 동시에 독자입니다. 저자인 나와 독자인 나는 만날 때마다 새로운 이야기를 만들어 갑니다. 지금 이 글을 읽는 당신의 생각을 여기에 더해보세요. 그것은 내 손을 떠난 글에 새로운 생명과 생기를 불어넣는 일입니다.

나는 어디로부터 왔는가

나는 어디로부터 왔는가

B

나는 교사로서 어떤
이야기를 만들어 왔나요?

과거의 생애로 형성된 가치관이
교직에 들어선 후 수업, 학생,
학부모, 학급, 동료교사 혹은
교사공동체에 어떤 영향을 주어
왔는지 되돌아봅니다.
그 중에서 지금 자신의 교육에 대한
생각과 역량에 영향을 준 경험을
짚어봅니다. 그리고 그것이 어떻게
지금의 나를 형성해왔는지
인식합니다.

원래부터 내것이
아니었음을

대화한 날_ 2023. 10. 18.

완성한 날_ 2023. 11. 29.

원래부터 내 것이 아니었음을

마음의 빗장을 푸는 열쇠

초등학교 때는 교사를 꿈꾸기도 했다. 초등학교 시절 나머지 공부하는 친구들을 도와야 하는 일이 많았다. 그래서였는지 3학년 때부터 6학년 때까지 유독 2학기만 되면 같은 반 친구들이 나를 반장으로 뽑았다. 나는 친한 친구가 없어 항상 점심시간에 집으로 와서 혼자 먹고 가곤 했는데 말이다. 주체할 수 없는 외향 기질에 감정 기복이 심한 예술가형 ENFP로 반백 년 가까이 살아왔지만 어렸을 때는 유독 누군가에게 먼저 다가가지 못했다. 그렇지만 쓸데없이 성실한 데다 누가 잘한다고 하면 간도 쓸개도 빼주고 싶을 정도로 과도한 책임감에 시달리는 나는 꽤 친구들의 신뢰를 받았다. 갤럽에서는 '책임 테마'를 '신뢰 테마'로 부르기도 하고 죄책감에 가까운 책임을 느낀다고 표현한다. 영락없이 나다. 그 시절을 생각해 보면 내게 다가와 나를 통해 자기가 많이 바뀌고 착해졌다고 하던 어떤 친구가 생각난다. 그 말에 나도 모르게 기쁜 마음에 뭉클했던 기억이 난다. 이런 정도니 내가 보이는 평소 행동은 모범 오브 더 모범 그 자체였었나보다. 그렇게 교사에 대한 꿈은 자연스럽게 초등 시절 내내 머릿속을 맴돌았다. 지금 생각해 보면 내가 보람과 에너지를 얻는 일은 누군가를 돕고 그들의 감사와 인정을 받는 일이었다. 문제가 생기면 힘들어하는 다른 사람들과 달리 오히려 에너지가 올라온다는

원래부터 내 것이 아니었음을

'복구'라는 강점 테마가 이런 나를 설명한다. 거기에 더해 '공감 테마'와 '책임 테마' 그리고 '존재감 테마'는 이런 나의 오지랖과 인정받고 싶은 욕구들을 자극하는 나만의 재능이었음을 이해할 수 있다.

그렇지만 중학교 때는 교사가 된다는 것에 대한 걱정이 많이 생겼다. 우선 밥벌이가 힘들다니 걱정일 수밖에. 넉넉지 않은 지역에서 자라고 절약이 생활인 부모를 보며 자란 것이 나의 경제관념 바탕이다. 장갑공장을 처음 시작하던 시기에는 어머니가 밤새 수작업으로 기계를 움직여 장갑을 짜 놓으면 아버지가 자전거에 싣고 성남에서 청계천까지 납품하며 생계를 유지하셨다 한다. 자수성가한 부모님 이야기를 들으며 나도 모르게 돈 걱정을 하는 속앓이를 하며 살았다. 게다가 수업에 들어오신 선생님들도 교사가 되면 몇십 년을 일해도 집 한 채 살 수 없다며 푸념하곤 했다. 교사 똥은 개도 안 건드린다는 어른들의 이야기도 한몫했을 터다. 물론 나중에 커서 보니 그때 그 시절 선생님들은 고도 성장기에 높은 은행 이자와 집값 고공 행진으로 내 집 마련을 대부분 하신듯하다. 그리고 IMF를 비껴간 안정적인 직장에 연금 혜택으로 최고의 직장으로 급부상하기는 했으니 다행이자 부러움의 대상이다. 어쨌든 돈 벌 걱정이 앞선 나는 서서히 다른 꿈을 갖기 시작했다. 더 성공한 삶을 살고 싶었다. 영어 과목이 좋아지면서 CNN 앵커가 되고 싶다고 생각했다. TV에도 나오고 영어로 뉴스를 진행한다면 얼마나 멋질까. 그러나 어린 시절 하늘을 나는 척척박사 초능력자의 환상만큼이나 공상에 가까운 꿈이었다.

고등학교 시절 최병배 선생님은 나에게 절대적인 영향을 미쳤다. 어린 시절 아버지와 마찰이 깊었고 다른 가족과도 소원했던 나는 선생님을 통해 어른에게 의지하고 기대고 싶었다. 주말에는 월요일 조례가 기다려질 정도로 선생님을 많이 따랐다. 얼마 전 만난 고등학교 친구가 자기 핸드폰에 선생님의 그 시절 사진을 담고 다니는 것을 보면 나만 그리 유별난 것은 아닌듯하다. 그러나 아쉽

원래부터 내 것이 아니었음을

게도 선생님은 젊은 나이에 암으로 돌아가셨다. 수업하던 중 우연히 본 문자에 다리가 풀리고 가슴이 마구 뛰었다. 50대 초반이었을까? 지금 생각해도 아쉽고 그립고 가슴이 아파져 온다. 힘든 시기 큰 힘이 됐던 선생님의 존재를 다시 가까이 뵙지 못한다는 것이 생각보다 슬픈 일이다. 내가 영어교사가 된 것은 최병배 선생님의 영향이 지대하다. 고등학교 시절 암울한 기억이 많다. 정말 이해할 수 없는 선생님들과 폭력적인 상황들도 많았다. 그렇지만 희망이 이겼다. 의지하던 선생님의 선한 영향력이 나를 교단으로 결국 이끌었으니 말이다.

영어교육과를 다니던 대학 시절 과방과 사범대 학생회실 그리고 거리에서 교육 운동을 이야기하며 보낸 시간이 많았다. 학교를 바꿔나가야 한다고 가슴으로 생각했고 그게 우리 사회에 도움이 되는 일이라고 생각했다. 20대를 다 바쳤다 해도 과언이 아니지만 돌아보니 어린 시절 주변의 권위에 대한 왠지 모를 반감이 많은 영향을 미쳤다. 그러나 여전히 나는 사람들과 공동체에 관심이 많다. 그리고 그들과 함께하는 일을 언제나 환영한다. 내가 할 수 있는 일들로 주변을 즐겁게 하는 일은 지금도 내게는 힘과 의지를 끌어올린다. 대학 시절 지역 공부방 교사로 보낸 3년의 세월은 치열했지만 내가 나일 수 있는 순간들이었다. 대도시 공립학교의 기간제교사로 학생회와 풍물동아리를 맡아 원 없이 학생 활동을 했던 순간도 그랬다. 어느 해는 전국의 어려운 학생들이 모이는 대안학교에서 조금은 특별한 경험을 했다. 오밤중에 남자애들이 여자 기숙사 1층에서 이불을 펴고 2층에서 여자아이들을 뛰어내리게 했다. 결국 응급실에 실려 간 여학생과 병원에서 밤을 꼴딱 새웠다. 남학생들의 머리를 쥐어박으며 만화와 현실을 구분할 수 있도록 가르쳐야 하는 별의별 경험을 다 한 셈이다. 그렇지만 그 속에서도 포기하지 않고 아이들과 함께해야 하는 이유가 더 많아졌다.

이우학교 교사가 된 것은 2005년 여름이었다. 기대와 설렘은 금세 지나고 무너지는 자존감에 지독히도 힘

원래부터 내 것이 아니었음을

들었다. 나만 빼고 다 훌륭한 선생님들이 계신 곳이라고 여겼다면 그건 나의 문제일까? 그러나 그 시절 뭘 해도 부족한 내 모습에 자존감을 아스팔트 바닥에 가는 것 같은 생채기에 시달렸다. 잘해야 한다는 생각과 의식이 나를 힘들게 했다. 그렇지만 다행히도 버티고 견디는 시간이 힘이 됐다. 학생부장과 교무부장 같은 직책을 맡게 되며 내가 잘 할 수 있는 일들을 조금씩 찾아나갔다. 그사이 하고 딸아이를 키우게 되고 나이가 들어가면서 깨지고 부서지기를 반복했다. 때로는 견디는 것도 좋은 해법이 된다. 이전보다 훨씬 더 여유 있게 나와 학생들을 바라볼 수 있게 됐다. 여전히 좌충우돌하지만, 그들의 성장에 내가 조금이라도 도움이 되고 싶은 마음만은 진심이다. 누가 뭐래도 책임감과 주인 의식으로 학교생활을 했다. 훌륭하고 본받을 점이 많은 선생님들이 계시는 학교, 교사들의 교육 활동을 존중하는 이사회와 학부모님들에 대해 감사함도 컸다. 내가 해야 할 일은 내가 받은 사랑과 존중 그리고 희망을 대물림 하는 것이었음을 뒤늦게 깨달았다. 원래부터 내 것이 아니니 당연히 물려줘야 하는 것이었음을.

"내가 해야 할 일은

내가 받은 사랑과 존중

그리고 희망을 대물림 하는

것이었음을 뒤늦게 깨달았다.

원래부터 내 것이 아니니

당연히 물려줘야 하는 것이었음을."

원래부터 내 것이 아니었음을

당신은 이 글의 저자인 동시에 독자입니다. 저자인 나와 독자인 나는 만날 때마다 새로운 이야기를 만들어 갑니다. 지금 이 글을 읽는 당신의 생각을 여기에 더해보세요. 그것은 내 손을 떠난 글에 새로운 생명과 생기를 불어넣는 일입니다.

원래부터 내 것이 아니었음을

내게 배운 학생들은
어떤 세상에서 살까요?

우리 사회가 어떠한 곳이 되기를
바라는지 생각해봅니다. 정치, 경제,
문화 등 사회의 각 영역에 대한
관점에 영향을 준 일들을
짚어봅니다. 그를 통하여 어떤
가치관을 형성해 왔는지
성찰합니다. 그에 비추어 현재
우리 사회의 모습을 볼 때 발견하는
괴리를 인식합니다.

아이들의 빗장을
푸는 열쇠

대화한 날_ 2023. 10. 25.

완성한 날_ 2023. 11. 28.

아이들의 빗장을 푸는 열쇠

좋은 동료 교사들과 함께하는 교육활동이 즐겁고 행복하기도 했지만 자격지심으로 외로움을 타기도 했다. 사교육을 금지하는 학교에서 영어 교과를 가르친다는 것이 어느 순간 큰 부담이 되었다. 중학교 3년이 지나고 영어를 제대로 배우지 못하면 그건 모두 내 탓이잖아라는 마음의 소리가 두꺼운 영어대백과사전처럼 나를 짓눌렀다. 그래서 내 수업은 항상 바빴다. 매주 신문을 읽고, 큰소리로 낭독한 음성파일을 받았다. 주마다 단어시험을 봤고 주어진 단어로 문장을 만들도록 했다. 주말이면 채점의 수렁에 빠져 머리카락이 가득한 책상에서 괴로워했다. 그러나 이건 '내가 이렇게까지 했는데도 영어를 못한다면 그건 너네의 노력 부족이야'라는 자기방어였음을 깨닫는 데 오래 걸리지 않았다. 학생들의 과제 제출량은 점점 떨어져서 포기자가 속출했다. 상위권 학생들과 학부모님들은 수업을 좋아하고 고마워했지만 뒤처지고 상처받은 아이들의 마음은 갈 곳이 없었다. 자기방어는 사람들의 마음을 멍들게 한다.

좋은 수업이란 뭘까? 학생들의 빗장을 푸는 나의 열쇠는 무엇이었을까? 나는 학생들이 용기를 얻는 수업을 하고 싶었다. 언제부터인가 첫 수업에서 항상 하는 말 중의 하나는 '영어를 못해도 잘 먹고 잘살고 행복할 수 있어.'라는 위로다. 미술은 못해도 당당한데 왜 영어는 조금만 뒤처져도 불안해하고 창피해하는지 우리는 모두 그 이유를 안다. 아이들도 물론이다. 그래서 대부분 학생은 영어를 잘 하고 싶어한다. 그러니 높은 기준을 버리고 타인과의 비교가 아닌 어제와 오늘의 나를 비교하자고 말한다. 이렇게 어려운 한국어도 잘하고 사전 하나 문법책 하나 보지 않고도 단어도 문장도 프리토킹도 거뜬한데 언어 습득 능력은 이미 검증된 거라고 안심시킨다. 영어에 소질이 없어서도 아니고 외워도 외워도 까먹는다며 머리 탓하지 말라고 이야기한다. 까먹어야 사람이고 까먹은 게 뭔지 아는 게 배움이고 그게 어려운 말로 메타인지라고 설득한다. 언어습득은 '머리가 아니라 꾸준함'이고 '질보다 양'이라고 이야기한다. 매일의 꾸준함이 오늘의 나를 만들기에.

"영어를 배우려면 '단어'와 '용기'를 함께 가져야 합니다. 지금 나의 영어 수준이 어떻든 주눅 들지 않고 일단 자신 있게 입을 떼서 말을 시작하는 게 중요하죠. 영어로 말하기 시작하면 어휘와 발음과 문법에 대한 감각이 빠르게 성장합니다. 그래서 말할 수 있는 용기가 제일 중요해요. 사실 유창하지 않은 영어로 말을 하려면 정말 용기가 필요하죠. 그런데 이것이 영어를 배우는 유일한 길입니다." (삶을 위한 수업, p74)

학생들이 수업에 참여하면서 용기를 가지고 노력하는 모습과 애쓰는 과정들을 잘 봐주세요. 수업을 통해 '타인과의 비교가 아니라 내가 보낸 어제와의 비교'가 중요하다고 이야기합니다. 그리고 재능이나 자기능력의 증명보다는 꾸준함을 연습하는 과정을 중요하게 여깁니다. 경쟁의 우위에 서기 위한 도구로서의 영어가 아니라 타인의 삶과 언어에 대한 관심으로 외국어학습을 받아들이기를 바랍니다. 자녀들에게 '영어 못해도 행복한 사람이 될 수있다'고 말해주세요. 서서히 영어도 잘하고 싶은 진짜 속마음을 스스로 발견 할겁니다. 우리 어른이 할 수 있는 것은 그 때를 기다렸다가 잘 도와줄 수 있는 방법을 함께 고민하는 거라고 생각합니다^^

이우학교 전체 수업공개 중2 영어수업 공개지도안 중

<참관인에게 부탁할 사항>

아이들의 빗장을 푸는 열쇠

학생들과 만난다는 것은 나에게 어떤 의미일까? 초임 시절 나는 그들의 마음의 빗장을 푸는 데에 늘 실패했다. 잘 지내다가도 불쑥 화를 내기도 하고 큰 소리로 나무라며 상처를 주고 만다. 그리고 그 상처는 후회와 자기 비난으로 부메랑으로 돌아왔다. 온전히 위하며 돕고 싶은 마음에 늘 욕심과 나의 에고가 뒤섞이면서 일을 그르쳤다. 그래도 다행히 이런 나를 이해해 주고 좋아해 주는 동료 교사들 덕에 버티고 포기하지 않을 수 있었다. 그리고 나의 돕고자 하는 마음을 온전히 받아준 미식축구부 학생들을 통해서도 성장할 수 있었다. 나는 미식축구부 감독으로 5년을 보냈다. 과격한 미식축구 대신 비접촉으로 플래그를 뽑아 태클을 하는 플래그풋볼 팀이다. 이 동아리를 얼떨결에 맡게 된 후로 감독이라기보다는 매니저에 가까운 생활을 했다. 물을 떠다 나르고, 간식이 마르지 않게 했다. 추운 날이면 어묵과 떡볶이를 음식 방에서 만들어 운동장으로 공수하기 하고 라면 파티를 열기도 했다. 내가 맡은 이후로는 방학 때마다 2박 3일씩 전지훈련을 다니며 합숙훈련을 하기 시작했다. 처음 맡을 때 5명이던 학생들이 점차 늘어나더니 이제는 20명이 훌쩍 넘었다. 급기야 학교에 있는 25인승 버스를 직접 몰고 싶은 마음에 1종 대형 면허를 취득했다. 이 버스를 몰고 부산대회를 대회에 출전하며 부르던 아이돌 노랫소리, 올라오는 길 모두가 뻗어버린 조용한 버스와 코 고는 학생들을 보는 것도 흐뭇했다. 라이벌에게 번번이 지다가 드디어 역전승을 거둔 순간 눈물을 보이던 아이들의 '위 아 더 챔피언' 떼창이 나의 투박한 열쇠를 부드럽게 기름칠 해주었다. 아낌없이 주려고 했고 아끼지 않음으로 더욱 충만해졌다. 그렇게 온전히 위하는 것의 의미를 배웠다.

아이들의 빗장을 푸는 열쇠

아이들의 빗장을 푸는 열쇠

"역전승을 거둔 순간

눈물을 보이던 아이들의

'위 아 더 챔피언' 떼창이

나의 투박한 열쇠를

부드럽게 기름칠 해주었다.

아낌없이 주려고 했고

아끼지 않음으로

더욱 충만해졌다.

그렇게 온전히 위하는 것의

의미를 배웠다."

B

당신은 이 글의 저자인 동시에 독자입니다. 저자인 나와 독자인 나는 만날 때마다 새로운 이야기를 만들어 갑니다. 지금 이 글을 읽는 당신의 생각을 여기에 더해보세요. 그것은 내 손을 떠난 글에 새로운 생명과 생기를 불어넣는 일입니다.

아이들의 빗장을 푸는 열쇠

아이들의 빗장을 푸는 열쇠

B

학교는 어떤 곳이
될 수 있을까요?

우리 교육이 마땅히 그러하길
바라는 모습을 상상해봅니다.
교육에 대한 자신의 철학을
형성하게 한 일들을 되짚어봅니다.
그를 통하여 어떤 교육철학을 갖게
되었는지 성찰합니다. 현재 우리
교육이 가진 괴리를 인식합니다.

실험과 상상의 배움터?!

대화한 날_ 2023. 11. 1.

완성한 날_ 2023. 11. 29.

실험과 상상의 배움터?!

어느 실험에서 학생들에게 선행을 해야만 풀 수 있는 어려운 수학 문제를 풀게 한 후 좋은 성적을 거둔 학생들에게 몇십만 원의 상품권을 선물로 지급했다 한다. 학생들은 생각보다 큰 상금에 놀라기는 했지만 상위권을 차지해 큰 금액을 받은 학생도 그렇지 못해 아무것도 받지 못한 학생도 결과의 차이에 대해 모두 수긍하고 당연시했다. 어찌 보면 노력한 학생들이 상위권을 차지하고 뜻밖의 상품권을 받는 것이 당연해 보일 수도 있다. 하지만 교육과정을 넘어서는 선행이 전제된 평가 기준으로만 보상을 해주었다는 문제가 남는다. 그 보상은 개인의 노력의 결과이며 능력의 결과이므로 당연하다고 생각하는 것이 과연 공정한 것인가? 이런 의문을 우리는 능력주의 혹은 메리토크라시라고 부른다. 사회가 정해 놓은 기준에서 자기 능력을 수단과 방법을 가리지 않고 검증해 내면 그 뒤에 따라오는 모든 권력과 권위 그리고 경제적 보상은 당연하다는 의식이 우리 사회 전반에 흐르고 있다.

조금만 더 생각해 보자. 정말로 그럴까? 그들의 노력과 성취는 존중해야겠지만 좀 더 다양한 기준과 관점이 존재하면 어떨까? 우리가 가르치는 학생들에게는 자신만의 고유함으로부터 출발해 스스로를 탐구해 갈 수 있는 여유와 공간이 필요하지 않을까? 자신의 고유함으로 탁월함의 별빛을 찾아 떠나가는 여정이 바로 성장이 아닐까? 그래서 나는 정말 자기답게 살아갈 수 있도록 자신만의 가치로 공동체에 기여하며 서로를 돕고 함께 살아갈 수 있도록 가르치고 싶다. 환대와 수용, 인정과 지지, 위로와 공감

실험과 상상의 배움터?!

이 그 바탕이 될 수 있도록 우리 기성세대가 그리 살아가는 모습을 보여주고 싶다. 좋은 부모가 되려 하지 말고 좋은 사람이 되려고 노력하는 것이 중요하다는 누군가의 말처럼 말이다.

이 세상에 흥미롭지 않은 사람은 없다

각 사람의 운명은 행성의 역사와 같다

그 자체로 특별하지 않은 행성은 없으며

어떤 두 개의 행성도 같지 않다

각각의 사람은 자신만의 비밀스러운 세계가 있다

그 세계 안에는 각자 최고의 순간이 있다

그 세계 안에는 각자 고뇌의 시간이 있다

하지만 우리로서는 그 두 시간 모두 알 수 없다

예브게니 옙투셴코의 시

「민중」에서

우리는 모두 저마다의 행성을 품고 비밀스러운 세계를 살아가고 있다. 그래서 한 개인이 오롯이 자신만의 잠재력을 발견하고 성장하도록 돕는 것이 교육의 시작이어야 한다. 이어령 교수는 우리가 모두 한 방향으로 뛰면 1등부터 꼴등까지 순위가 매겨지지만, 모두가 다 다른 방향으로 뛰면 각자만의 결승선을 통과할 수 있다고 말했다. 무조건 최고가 되려 하지 말고 단 하나 Only One이 되려고 노력하자는 말은 울림이 있다. 학교에서 만나는 풍경은 최고를 가리기 위한 무한 경쟁으로 치닫고 있기 때문이다. 교사인 나 또한 그랬다. 사람들은 항상 내가 아는 다른 누군가를 닮아가려고 노력한다. 그런데 어느 순간 좌절

실험과 상상의 배움터?!

하는 마음으로 침잠한다. 내가 아는 훌륭한 그 누군가는 결코 내가 될 수 없다. 나의 고유함으로부터 출발하지 않았기 때문이다. 나의 잠재력과 재능을 들여다보지 않고 타인의 강점만을 따라가는 것은 파랑새를 찾아 떠나는 것과 같다. 누군가가 되려고 노력하는 대신 내 고유의 강점을 활용해서 나다운 교사가 되어야 한다. 모든 인간은 객관적 기준에 의해 서열화될 수 없다. 그래서 이우학교는 '더불어 사는 삶'을 위해 각자의 고유함과 잠재력을 발견하고 성장하도록 돕는 '실험과 상상의 배움터'를 교육과정 운영의 핵심 원리로 삼는다. 이것은 교사들에게도 마찬가지로 동등하게 적용되어야 함을 뒤늦게 깨달았다.

새롭게 의미가 다가오거나 깊어지길 바라는 말들

-이우중학교에서 중요하게 다루는 말들

배움 (공부)	친구 (우정)	공동체(말하기)	공동체 (듣기와 기획)
지식 위주의 배움에서 벗어나 다양한 종류의 배움(공부)의미 이해하기	우정을 쌓은 만큼 성장하는 것을 깨닫기	사적인 고민과 경험을 공적인 이슈로 말하기	타인의 사적인 경험을 공적인 이야기로 듣고 문제를 기획 하거나 해결하기
자기 이해(성찰)	자기 표현	대인성	공공성
-자기 자신과 삶에 대해 긍정하기 / -자신을 구성하는 심원의 생각,감정과 대면하기 / -나의 욕망과 타인, 부모의 욕망 구별하기	자신과 세상을 해석하는 '자신만의 언어' 갖기	자신만의 질문과 답을 고민해보기	내 곁의 존재가 힘든데 자신만이 행복하기 어렵다는 감각 깨우기

그래서 모든 교육은 '나'라는 존재의 이해로부터 시작해야 한다. 그러나 자기 이해와 나다움은 자기 중심성과는 거리가 멀다. 레비나스라는 철학자는 우리 삶은 '타자'에 근거해 존재하는 것이지 '타자'가 우리 삶에 속해 있는 것은 아니라고 말한다. 즉 이기주의 혹은 이타성을 통해 타인에게 선을 거둬들이거나 베풀 수 있는 것이 아니다. 교사는 학생이 있기에 존재할 수 있다. 학생들은 함께 배우는 교사와 친구들이 있기에 학생이라는 정체성을 확인받을 수 있다. 우리는 오히려 낯선 이를 환대로 맞이함으로써 자기중심성을 내려놓고 온전히 성장하는 존재가 될 수 있는 것이다. 그로인해 모든 개인은 자기 이해를 바탕으로 서로 환대할 때 타인과의 의미 있는 관계를 맺을 수 있다. 교사는 '응답하는 주체'로서 학생들이 자신을 타인에 비추어 바라볼 수 있게 도와야 하는 존재들이다. 그러기 위해 교사는 자신을 잘 이해하는 것뿐만 아니라 학생들의 고유함과 잠재력을 함께 찾아나가는 노력을 해야 한다. 요즘 주위에서 다양한 미래 교육에 대한 이야기들이

실험과 상상의 배움터?!

넘쳐난다. 그러나 아직도 기능주의적인 미래테크 중심의 이야기 속에 교육의 본질에 대한 고민이 부족한 것은 아닌지. 방안의 거대한 코끼리를 두고 변죽만 두드릴 수밖에 없는 현실에 막막함을 느끼지만 그래도 지금 여기, 내가 교사로서 해야 할 일은 학생들이 자신으로 살아갈 수 있도록 돕고 지지하는 것이지 않을까?

'나답게, 모두의 존엄을 통해, 세상과 함께 행복한 삶'

자기탐색과 자립	소통방식
· 자기이해 · 자기성장 · 자아정체감 · 다양한 관계속의 나 · 자기공감과 존중 · 자기책임과 의무 · 행복의 의미 찾기적응	· 존중과 상호지지 · 우정과 환대 · 신뢰의 공동체 · 합리적이고 민주적인 의사결정과정 경험

배움능력	공존과 연대

· 배움의 주체로 서기
· 통섭과 협업에 대한
  열린 태도
· 지식과 태도 및
  역량의 균형
· 실수에 대한 안전감
· 성장목표 중심 태도
	· 생태적 삶 지향
	· 혐오와 차별에 반대하는
	  인권의식
	· 민주시민으로의
	  성장과 공동체 지향
	· 세계시민역량

실험과 상상의 배움터?!

B

당신은 이 글의 저자인 동시에 독자입니다. 저자인 나와 독자인 나는 만날 때마다 새로운 이야기를 만들어 갑니다. 지금 이 글을 읽는 당신의 생각을 여기에 더해보세요. 그것은 내 손을 떠난 글에 새로운 생명과 생기를 불어넣는 일입니다.

실험과 상상의 배움터?!

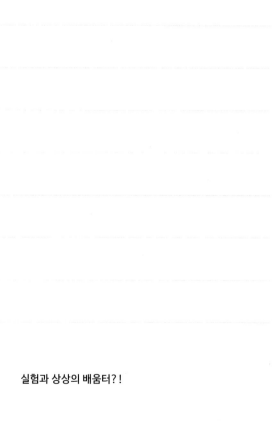

실험과 상상의 배움터?!

B

교사인 나를 둘러싼 환경은
어떠한가요?

우리 사회와 교육이 가지길 바라는
모습을, 나의 차원에서 실현하기에
주변 환경이 어떠한지 살펴봅니다.
자신의 교육철학을 이루기에
도움이 되는 환경과 제약이 되는
환경을 짚어봅니다.

교사리더십 첫걸음,
누가 뭐래도 나다운

대화한 날_ 2023. 11. 8.

완성한 날_ 2023. 11. 30.

교사리더십 첫걸음, 누가 뭐래도 나다운

나는 배우는 것에 두려움이 없다. 내가 이렇게 배우는 것을 좋아하는 사람이었던가? 각종 연수에 관심과 흥미가 있고 새로운 것을 배우는 것도 좋아한다. 300시간의 연수 시간을 훌쩍 넘는 해도 있고 학부모님을 대상으로 영어독서지도사과정, 퍼실리테이터양성 과정, 회복적 서클 운영자 양성 과정 등을 여러 차례 운영하기도 했다. 많이 망설였지만 대학원에 진학해서 교사리더십을 전공하고 있고 이제 한 학기면 졸업이다. 다양한 필드에서 일하는 사람들과 함께 퍼실리테이션 교육과 한국코칭협의의 전문 코치 과정도 배웠다. 여기에서 멈추지 않고 최근에는 갤럽 클리프튼스트렝스 강점 인증 코치 자격과 버크만 디

브리핑 자격 과정을 수료했다. 혹자는 내가 배움이 깊어지기도 전에 다른 것을 배우는 게 병이라고 진단 내리기도 한다. 수업과 학생상담, 학부모 교육, 동료 교사들과의 협업을 위해 뭔가 부족하다면 배워서라도 채우려 노력하지 않으면 마음이 불안한 것을 보니 배움 중독이라고도 생각했다. 그러나 다행히도 강점 공부를 통해 더욱 객관적으로 나의 배움을 이해할 수 있었다. 내가 가진 '복구 테마'는 문제가 발생한 상황에 대해 용기와 창의성을 잃지 않는 사람들의 특징이다. 그리고 그 문제의 원인을 고민하고 해결해 나가는 과정을 통해 에너지를 받는다. 그렇다 보니 남들보다는 좀 더 자기 자신의 약점을 어떻게 해서든 보완하고 싶은 욕구가 높다. 게다가 '책임 테마'는 나에 대한 기대와 신뢰를 떨어트리는 상황을 정말 피하고 싶어 한다. 그러니 배워서라도 시도해 볼 수밖에. '행동 테마' 덕분에 어떻게 해야 할지 분석하고 효율을 따지고 비용을 감안하는 과정을 과감히 건너뛰고 실행에 옮기는 용감형 혹은 무대뽀형이다.

사실 배움에 대한 진심보다는 그 배움의 방향과 사용이 더욱 중요하다. 배움을 통해 나는 학교의 본질과 교육의 필요에 부응하고 있는지 자문해 본다. 지금 학교 현장에는 교사의 역할과 관련된 큰 변화의 흐름이 있다. 이제는 누구도 지식의 주입과 통제가 중요하다고 말하지 않는다. 교과서를 그대로 가르쳐야 한다고 생각하지도 않을뿐더러 교사의 전문성을 해당 교과 지식을 얼마나 잘 가르치는가로 판단하지도 않는다. 그러나 교육에 대한 변화 요구가 거세지만 여전히 과거의 입시 중심 교육은 크게 달라지지 않았다. 기존 지식 중심의 교육패러다임과 정답이 없는 구성주의 사회 현상에 기반한 교육 패러다임의 중간 어딘가에서 헤매고 있는 그야말로 과도기다. 이 과도기를 거쳐 어떤 방향성을 가지고 우리는 가고 있는지 묻고 또 물어야 할 때다. 학교에서 교사가 하는 일은 무언가? 결국은 교육 목표를 세우고 이루기 위해 노력하는 것이 그 본질이다. 그런데 우리는 그런 방향성에 관해 이야기하는 것에 익숙지 않다. 각자 열심히 노력하는 사각형 교실 안에 외로운 섬처럼 덩그러니 떠 있는 심정일 때가 많다. 그럴 때면 배움으로 덮어버릴 수 없는 불안감이 조금씩 차오른다. 그럼에도 불구하고 아무리 혼탁하고 외로워도 교사로서 스스로 교육의 내재적 가치를 찾아가며 의미를 부여하는 것은 중요하다. 많은 교사가 이 혼란스러운 패러다임의 과도기에 휘둘리지 않고 배움을 놓지 않으려 고군분투한다. 왜일까? 그것은 바로 교사의 만족과 보람이 교사로서 우리가 하는 일에 대한 가치와 의미 부여로부터 나오기 때문이다. 그래서 나에게는 교육의 내재한 가치를 훼손시키지 않겠다는 마음이 무엇보다 중요하다.

교사리더십은 학생들과 함께하는 모든 교사에게 주어지는 역할이다. 리더십은 '조직'에서 '구성원'들을 촉진하고 지원함으로써 '목표'를 이루도록 '영향력'을 끼치는 행위이다. 같은 관점에서 보면 교사들은 학교 혹은 학급이라는 '조직'이 있고 학생과 학부모 그리고 동료 교사와 같은 '구성원'들과 함께 교육활동을 만들어 간다. 그 속에서 우리는 '구성원'들에게 다양하고 직접적인 '영향력'을 행사하며 '교육목표'가 달성될 수 있도록 무진장 애를 쓰고 있다. 그 때문에 시작부터 모든 교사는 교사리더십을 필요로 한다. 기존의 지식 중심의 패러다임에서는 교사들의 전문성은 주로 잘 가르치는가에 초점이 맞춰져 있었다. 그러나 이제는 교사에게 더욱 다양한 역할을 기대한다. 컨설팅, 멘토링, 티칭, 상담, 코칭 또는 퍼실리테이터로서 해야 할 역할을 기대하는 다양한 상황에 직면한다. 교사는 대략 1년에 20만 번의 소통을 하며 대부분 즉흥적이며 예측불가능한 상황을 다룬다고 한다. 그뿐만 아니라 여러 명을 동시에 만나며 모든 개인에게 맞추기를 요구받고 그들의 과거와 현재와 미래를 다루는 역할을 맡는다. 이렇게 교사의 일은 더욱 복잡하고 난해한 업무와 관계에 놓여 있는 3차원 방정식이다. 그로 인해 교사는 더욱 성숙한 리더십을 필요로 한다. 복잡계인 학교 한복판에서 학생, 학부모, 동료 교사들과의 협업을 해야 하는 전문직이기 때문이다. 하지만 교사로서 내가 모든 역할을 다 잘할 수는 없다. 그렇다면 어디에서부터 시작할 것인가? 나는 어떻게 나만의 교사리더십을 발휘할 수 있을까?

구분	컨설팅	멘토링
목적	높은 전문성으로 솔루션 제시	경험의 전수와 훈련을 통한 실력과 잠재력 향상
주 사용 기술	경험 전달, 조언	지도와 조언, 숙달 훈련
질문 의 목적	문제 진단과 해법 제시	해법 제시와 성장 촉진

티칭	상담	코칭
가르침을 통한 지식의 전달	과거의 어려움으로부터의 회복, 치유와 이해	행동으로 탁월한 결과를 만들도록 돕는 파트너십
강의, 실습, 평가	질문, 경청, 진단	질문, 경청, 실행 계획
이해도 측정	진단과 처방	발견, 관점변화, 성장 촉진

자기다움은 고유함의 영역이다. 그래서 자기 탐색은 양파가 아니라 양배추와 같다. 양배추잎을 하나하나 벗기면 제각기 다른 모양과 공간을 만난다. 그만큼 새로운 세상과 마주하는 것이다. 나의 재능과 강점에 관해 공부하기 시작하면서 많이 듣는 질문 중 하나가 재능은 선천적인가에 대한 궁금함이다. 현재까지의 결론은 '강점은 선천적이며 후천적이나, 경험의 길이와 깊이가 깊을수록 불변할 수도 새롭게 만들어 갈 수도 있다'는 것이다. 뇌과학자들은 이타심, 공감, 창의성, 끈기, 용서, 인지능력 등의 50%~70%는 유전적 영향으로 타고나는 것이라고 말한다. 나머지 50%~30%는 환경과 경험의 영향이다. 그래서 사람들은 서로 다른 공간의 모양과 크기만큼의 잠재력을 숨기고 있다. 우리가 해야 할 일은 고유함과 잠재력의 영역에 집중하며 자기다움을 수집해 가는 것이다. 가지고 있지 않은 것을 욕망하고 자신을 몰아세우기보다는 내 안에 있는 것을 발견하고 자기 강점으로 만들어 가는 것이다. 약점의 보완이 아니라 재능의 강화이고, 좋아 보이는 것이 아니라 내가 좋아하는 것을 하는 것이다. 그래야 좋아 보이는 교사리더십이 아니라 자신으로부터 나온 나만의 교사리더십을 만날 수 있다. 내가 가진 재능의 언어들은 적응, 복구, 발상, 책임, 공감, 행동, 긍정, 포용, 커뮤니케이션, 존재감이다. 재능으로 시작하는 나의 강점 탐구는 현재진행형이다.

대표테마 TOP5	나는 _____ 교사입니다.
적응 (ADAPTABILITY) ®	나는 변화하는 현재를 받아들이며 순간의 선택 을 통해 미래를 만들어가는 유연한 교사입니다.
복구 (RESTORATIVE)™	나는 주변에서 발생하는 어려움들을 새로운 시 각과 방법으로 해결하고 도울 때 큰 기쁨을 느끼는 교사입니다.
발상 (IDEATION) ®	나는 다양한 방법과 창의적인 생각들을 연결짓 고 구상할 때 신바람이 나는 교사입니다.

책임 (RESPONSIBILITY) ®	나는 맡은 일을 최선을 다해 완수하려 노력함으로써 신뢰를 얻을 때 뿌듯함과 보람을 느끼는 교사입니다.
공감 (EMPATHY)™	나는 타인의 행동과 결정이 나와 다르더라도 그 들만의 이유와 맥락이 있을 것이라고 이해하고 공감하려고 노력하는 교사입니다.

"약점의 보완이 아니라

재능의 강화이고,

좋아 보이는 것이 아니라

내가 좋아하는 것을 하는 것이다."

교사리더십 첫걸음, 누가 뭐래도 나다운

B

당신은 이 글의 저자인 동시에 독자입니다. 저자인 나와 독자인 나는 만날 때마다 새로운 이야기를 만들어 갑니다. 지금 이 글을 읽는 당신의 생각을 여기에 더해보세요. 그것은 내 손을 떠난 글에 새로운 생명과 생기를 불어넣는 일입니다.

교사리더십 첫걸음, 누가 뭐래도 나다운

교사로서 우리의 이야기를
어떻게 써 내려갈까요?

우리를 둘러싼 환경을
고려하였을 때, 자신의 교육철학을
실현하기 위해 집중할 일 혹은
해결할 문제를 찾아봅니다.

두 번째 산

대화한 날_ 2023. 11. 15.

완성한 날_ 2023. 11. 30.

두 번째 산

첫 번째 산이 자아(ego)를 세우고 자기(self)를 규정하는 것이라면 두 번째 산은 자아를 버리고 자기를 내려놓는 것이다. 첫 번째 산이 무언가를 획득하는 것이라면 두 번째 산은 무언가를 남에게 주는 것이다. 첫 번째산이 계층 상승의 엘리트적인 것이라면 두 번째 산은 무언가 부족한 사람들 사이에 자기 자신을 단단히 뿌리내리고 그들과 손잡고 나란히 걷는 평등주의적인 것이다.

<두번째 산, 데이비드 브룩스>

첫 번째 산은 정복하지만 두 번째 산은 '나'를 정복하고 어떤 소명에 굴복하는 것이라고 한다. 첫 번째 산을 오르며 20여년이 흘렀고 나는 아직도 그 산 중턱에서 헤매이고 있는지도 모르겠다. 왜 오르는지 생각할 겨를도 없이 그저 오르고 또 오른 길에 멈춰 서 보니 굽이굽이 시작도 끝도 보이지 않는다. 인생은 직선이 아니라 곡선이라더니 휘몰아쳐 굽어온 길이 만든 직선과의 간극 만큼 불안했다. 그러나 그 만큼 성장했고 단단해졌으리라. 이제 내가 정복당하는 두 번째 산의 오솔길은 시작되었다.

매일의 사유를 통한 교육 철학함이 길잡이 별이 되어줄 거다. 우리가 하는 일은 무언가. 학생들을 만나고 함께 성장한다는 것은 무엇인가. 이 교육과정은 우리에게 어떤 의미인지, 학교는 지금 어떤 역할을 해야하는지. 일상속에 묻혀 그저 오르느라 땅만보며 걸어온 발자취를 가만히 바라본다. 그 길 위에서 붙잡았던 나뭇가지들, 흘러내린 땀방울 그리고 걸터앉아 바라 본 하늘이 간직한 이야

두 번째 산

기들을 듣는다. 교육철학함은 그리 대단하지 않은 곳에 놓여 있는지도 모르겠다. 발길에 부딪히는 돌뿌리를 만날 때마다 했던 괴로움과 고민들이 철학을 담는 순간이었다. 우리의 사유함은 아이들을 멀리 벗어나지 않게 마련이다. 답도 없는 일에 지치고 쓰린 생채기에 아파해도 여태 벗어나지 못한 것을 보니 그 길잡이 별은 첫 번째 산에서도 덤불과 벼랑끝마다 나를 비추고 있었나보다. 나는 내가 만나는 학생들과 동료교사들을 고유함과 잠재력을 만나고 그들만의 탁월함의 별빛을 찾아가도록 돕고싶다. 평균에 맞추며 살지 않도록 그 어느 누구도 스스로를 덮어버리지 않도록, 자신만의 고유함과 잠재력을 폭발하듯 터트리는 순간을 함께하고 싶다. 태어남과 동시에 자기가 가진 고유한 욕구로 부터 출발한 우리들의 여정은 다양한 관계와 환경을 통해 제 갈길을 모색한다. 그 욕구들은 무언가를 더 하고 싶은 끌림과 떨림으로 타인과는 다른 자기요소들을 만들어간다. 이런 요소들을 우리는 흥미라고 부른다. 우리들의 흥미는 점차 나를 몰입의 순간으로 이끌며 즐거움과 뿌듯함이라는 에너지로 농밀해진다. 이런 농밀함은 재능이라는 언어로 타인들에게 발견되고 나에게는 없어서는 안될 살아있는 순간들로 이어지게 마련이다.

　　교육을 한다는 것은 당장 열매를 따는 것 아니라 씨앗을 심는 일이고, 거름을 치고 김을 매는 매일의 수고로움이다. 그러나 나는 각자가 가진 꼴대로 자라며 열매 맺는 것을 내 손으로 만들어 낼 수도 상상하기도 힘들다. 그저 나는 내가 만나는 학생들과 동료 교사들을 고유함과 잠재력을 만나고 그들만의 탁월함의 빛을 찾아가도록 돕고 싶다. 평균에 맞추며 살지 않도록 그 누구도 스스로를 덮어버리지 않도록, 자신만의 고유함과 잠재력을 폭발하듯 터트리는 순간을 함께하고 싶다. 태어남과 동시에 자기가 가진 고유한 욕구로부터 출발한 우리들의 여정은 다양한 관계와 환경을 통해 제 갈 길을 모색한다. 그 욕구들은 무언가를 더 하고 싶은 끌림과 떨림으로 타인과는 다른 자기요소들을 만들어 간다. 이런 요소로 채워지는 각자만의 흥미는 몰입의 순간을 통해 즐거움과 뿌듯함으로 농밀해진다. 그리고 마침내 이런 농밀함은 재능이라는 언어로 타인들에게 발견되고 나에게는 없어서는 안 될 살아있는 순간들로 이어지게 마련이다. 나는 재능으로 시작하는 밭을 동료 교사들과 함께 일구고 싶다. 강점으로 열매 맺는 그 순간이 아니라 애쓰고 고군분투하며 가지를 뻗어가는 그 순간의 기쁨을 함께 축하하는 사람이고 싶다.

사회는 이제 더 이상 누군가가 정해 놓은 정답을 가지고 있지 않다. 오히려 공동체의 성장과 행복은 그 내용과 크기가 아니라 방향성에 놓여있다. 모두에게 적합한 절대적인 지식은 존재하기 어려우며 혼자가 아닌 타자와의 상황과 맥락 속에서 우린 존재한다. 그래서 우리는 자신을 탐구하며 타인을 환대로 받아들이며 성장한다. 하지만 우리가 아이들과 살아가야 할 세상은 녹록지 않다. 다양한 가치들의 충돌, 핵 개인화, 분초 사회, 능력주의와 경쟁의 심화가 우리 앞에 놓인 방향성의 언어들이다. 학생들과 학부모님들은 불안함으로 동분서주하고 동료 교사들과 소통과 협력 또한 좌절의 연속이다. 부끄럽지만 나도 문득문득 당장의 퇴직을 꿈꾸기도 하고 받는 만큼만 일한다는 '조용한 퇴사'를 부러워하기도 한다. 그러나 깨지고 부서지는 순간에도 여전히 난 다시 희망을 이야기하며 '긍정'의 에너지를 채운다. 모든 것이 무너지는 순간 의지로 낙관하라는 어느 철학자의 말처럼 낙관은 타고난 '긍정 테마'에 자유 의지를 더함으로 더 큰 힘을 발휘하는 것인지도 모르겠다. 그래서 나는 정답이 없는 사회에서 모범답안을 찾기보다는 우리가 가져야 할 방향성을 이야기해야 한다고 생각한다. 그 방향성은 우리의 철학 함, 교육을 바라보는 관점과 내재한 가치를 찾아가는 과정이다.

교육철학 강의의 마지막 질문이자 졸업시험으로 받아 든 문제는 나의 교육철학을 밝히는 글이었다. '제1의 철학과 제2의 철학 그리고 제3의 철학을 밝히라'는 문제로부터 출발한 나의 답안지는 어딘가 우리 학교와 동료 선생님들을 많이 닮았다. 그 순간 스쳐 가는 동료들의 얼굴과 수많은 시간 그리고 기쁨과 환희, 좌절과 회의의 순간들이 고스란히 담겨있다. 그러고 보니 나를 한없이 작아지게 만드는 창피한 글을 쓰면서 그래도 힘을 낸 것은 이것이 나만의 것이 아니라 우리의 것이고 수많은 학생들과 함께 만들어온 우리들의 유산이기 때문이었다. '당신의 교육철학을 한 권의 책에 담아드립니다'를 통해 이어온 글이 이제 마지막 챕터에 닿았다. 거칠게 써 내려간 나의 교육철학을 마치는 글로 아직 미완성이자 영원한 숙제로 남을 부끄러운 답안지를 제출하면서 마무리하려고 한다. 마지막 문장과 씨름하며 썼다 지우기를 반복하다 떠오른 말은 교사리더십전공 김병찬 교수님의 과제에 대한 피드백이다. 과제에 성적만 매기면 서랍 속에 잠자고 있을 게 당연하다며 연구실에서 개인 피드백을 주시는 진정성이 바로 교수님의 교육철학이 구체적 언어들로 살아 전달되는 순간이었다. "교육철학이 단단하면 흔들리지 않고 여유를 가질 수 있어요. 교사들은 자신의 교육활동을 통해 보람을 느낄 때 기쁨을 느끼며 행복한 교사가 될 수 있는 거예요. 누가 인정해 주지 않아도 보상을 받지 않아도 행복해질 수 있어요. 그래서 교육철학을 갖는다는 것이 정말 중요한 거예요. 김진원 선생님이 그렇게 되기를 진심으로 바라요." 교사가 행복해야 한다는 말씀이 주는 뭉클함의 여운이 지금도 남아있다.

제1의 교육철학_실존주의

1. 인간은 자신의 삶을 스스로 선택하고 책임을 져야 합니다. 때문에 학교에서는 선택 역량, 자유 역량, 책임 역량을 기를 수 있어야 합니다.
2. 교육의 모든 장면에서 학생들이 자유를 누리는 법, 선택하는 법에 대해서 충분히 연습할 수 있도록 해야 합니다. 또한 이 과정에서 학생들이 책임 의식을 충분히 발휘하고 공감 능력을 기를 수 있도록 도움으로써 주체성을 기를 수 있어야 합니다.

두 번째 산

3. 교육 현장에서는 사회에서 벌어지고 있는 일들을 자연스럽게 이야기하게 함으로써 스스로 비판적인 사고력을 기를 수 있도록 해야 합니다. 다수의 의견이나 전문가의 의견이라고 맹목적으로 따르는 것이 아니라 가려지거나 가공되지 않은 정보들을 있는 그대로 보고 스스로 선택하고 책임질 수 있도록 해야 합니다.

4. 인문학과 예술 교과 등을 통해 창의적이고 비판적인 관점을 서로 토론하며 발전시켜 나갈 수 있어야 합니다. 정보는 가공하거나 가감하기 보다는 스스로 선택하고 그 선택의 근거들을 찾아가면서 책임 있는 행동을 할 수 있도록 교육해야 합니다.

제2의 교육철학_포스트모더니즘

1. 나와 다름에 대한 존중과 상호협력은 개인의 성장과 공동체의 형성을 위해 매우 중요합니다. 다원주의 사회에서는 존중을 통해 다름을 인정하고 배격하지 않으며 대

화를 통해 의미 있는 소통을 만들어 내는 것이 필수적입니다.

2. 가치와 지식의 주입보다는 학생 스스로 가치를 형성해 갈 수 있도록 교육과정 운영을 고민해야 합니다. 가치의 형성에 대한 역량을 기를 수 있는 경험을 제공하고 이를 통해 스스로 가치에 대해 정립해 나가는 연습을 할 수 있어야 합니다.

3. 대화와 토론을 통해 더 나은 대안을 함께 모색하고 합의해 나가는 공동체 문화를 익힐 수 있어야 합니다. 개인의 소서사에 매몰돼 서로 배제하고 혐오하거나 허무주의에 빠지지 않도록 하는 건강한 민주주의를 경험할 수 있어야 합니다.

제3의 교육철학_진보주의

1. 학습자가 스스로 흥미, 관심, 경험, 욕구를 찾아갈 수 있도록 도와야 합니다. 교재와 문제 풀이 중심의 수동

두 번째 산

적 학습에서 벗어나 현재의 삶과 연관될 수 있어야 합니다.

2. 프로젝트 학습 등을 통해 기존의 지식을 활용해 현실의 다양한 문제를 공감하고 해결하는 교육과정을 함께 구성할 수 있어야 합니다.

3. 교사의 역할은 안내자이고 촉진자이며 때로는 질문을 통해 함께 답을 찾아가는 코치입니다. 학생을 정해진 답과 틀에 맞추는 것이 아니라 함께 배움을 만들어 가는 안전한 관계의 조력자가 될 때 가장 잘 배울 수 있습니다.

'나답게, 우리의 성장을 향해, 세상과 함께'

- 스스로 조직하고 결정하며 자기 책임감을 높이는 배움
- 자기탐색과 도전을 통해 자기 행복을 주체적인 관점으로 만들어가는 여정
- 존중받는 경험을 바탕으로 타인과의 의미 있는 소통을 경험하기

- 개인의 자립을 바탕으로 공공, 공존, 존엄을 위해 세상
  과 연대할 수 있는 민주시민

자기탐색	소통방식
· 자기이해 · 자아존중감 · 자아정체감	· 합리적이고 민주적인 의사결정과정 경험

배움의 환경	타인과의 관계

· 스스로 조직하는
  배움의 환경
· 공존, 협업에 대한
  열린 태도
	· 존중, 상호지지
	· 실수에 대한 안전감

자기결정권
· 자기 이유를 탐색하며 선택의 근거 마련 · 합리적이고 민주적으로 선택하는 능력 · 타인과 공존하는 책임 있는 수행

두 번째 산

삶의 주도권, 자립

· 타인의 시선, 왜곡된 주변 환경을 벗어나

　자기 근거 마련

· 스스로 선택한 행동의 결과에 대한 책임을 자기 문제로

　받아들이기

· 세상과 연대하며 공동체에 기여

"강점으로 열매 맺는

그 순간이 아니라 애쓰고

고군분투하며 가지를 뻗어가는

그 순간의 기쁨을

함께 축하하는 사람이고 싶다."

두 번째 산

B

당신은 이 글의 저자인 동시에 독자입니다. 저자인 나와 독자인 나는 만날 때마다 새로운 이야기를 만들어 갑니다. 지금 이 글을 읽는 당신의 생각을 여기에 더해보세요. 그것은 내 손을 떠난 글에 새로운 생명과 생기를 불어넣는 일입니다.

두 번째 산

B

교사리더십 첫걸음, 누가 뭐래도 나다운

저자_ 김진원
발행_ 2023. 12. 25.

펴낸이_ 이상수
펴낸곳_ beside books
출판사등록_ 제561-2022-000043호(2022. 5. 17.)
주소_ 경기도 수원시 영통구 영통로200번길 21
전화_ 010-2853-2423
인스타그램_ instagram.com/beside.books
편집 / 디자인_ 서현지 이경준 정휘범

ISBN_ 979-11-92865-27-0